Le Livre du berger

JOANN DAVIS

Le Livre du berger

L'HISTOIRE D'UNE SIMPLE PRIÈRE
ET LA FAÇON DONT ELLE A CHANGÉ LE MONDE

Traduit de l'anglais (États-Unis)
par Cécile Dutheil de la Rochère

Titre original
The Book of the Shepherd

Pour tous ceux qui font preuve
d'une impitoyable compassion
et sont bons sans relâche

Pour Kenny, Jenny et Colin

Il faut obéir à la loi

C'ÉTAIT UN PETIT GARÇON DOUX comme un agneau et innocent comme le printemps. Un petit garçon bon, qui récitait ses prières et respectait les anciens. Mais, ce jour-là, c'était un petit garçon terrifié, paralysé par la peur d'être châtié et fouetté aux mollets..

– Je vous en prie, père, implorait-il, ayez pitié de moi.

Son père était furieux. Il lui avait demandé de se lever à l'aube pour approvisionner leur étal au marché de fruits et légumes, et l'enfant avait eu à cœur de le satisfaire. Hélas, il ne s'était pas réveillé à temps. À présent, le marché se remplissait, et ils n'avaient rien à vendre.

— Ni olives ni figues ? demanda une femme, perplexe, portant un panier sur le dos. Ni raisins ni miel ? Vous vous moquez de moi !

Le marchand essaya de la calmer et lui conseilla de revenir plus tard en lui promettant qu'il aurait des produits d'une qualité exceptionnelle, à des prix défiant toute concurrence. Mais, peu après, il la vit ouvrir son porte-monnaie devant l'étal du voisin. C'en fut trop.

— Petit fainéant ! s'écria-t-il en saisissant son fils à la gorge. Tu ne fiches rien et tu nous retires le pain de la bouche. Je vais t'infliger une leçon que tu n'es pas près d'oublier.

Le soleil brillait, et la place du marché s'animait. Les tisserands négociaient avec leurs clients. Les potiers actionnaient leurs tours. Des amis déambulaient bras dessus, bras dessous en riant et en discutant.

Tous étaient joyeux, sauf le marchand. Mû par une rage aveugle, il saisit le fouet réservé à son âne obstiné à l'arrière de sa carriole.

– Tu n'es qu'un petit sot ! s'écria-t-il, s'apprêtant à le frapper. Pour la dernière fois, je te le répète, c'est moi qui fais la loi et tu es tenu de t'y plier.

Telle une tempête qui grossit inexorablement sur l'océan, la colère de l'homme était incontrôlable. Il fouetta l'enfant, le renversa dès le premier coup, et continua de le battre sans répit. L'enfant roula sur le côté pour tenter d'échapper aux coups, en vain, sa chair brûlait sous la douleur.

L'échauffourée troubla l'atmosphère paisible du marché, tel un combat de coqs. Le public fut soudain tiré de sa léthargie, et de nombreux badauds se pressèrent sur les lieux du drame. Certains hurlèrent sur-le-champ, comme une incantation :

– Fouettez cet enfant ! Il faut qu'il paie.

Seule une personne dans la foule semblait compatir.

C'était un berger venu tirer de l'eau au puits du marché pour donner à boire à ses moutons. À peine crut-il reconnaître des sanglots d'enfant qu'il abandonna ses bêtes à l'abreuvoir et se précipita pour porter secours à la victime.

Hélas, il fut piégé par la foule déchaînée des spectateurs haineux et des passants curieux. Il tentait de se frayer un chemin au milieu de cette cohue quand il entendit un vieil homme citer la loi du châtiment contre le fils transgressant la loi paternelle.

– Malheur à l'enfant qui désobéit à son père.

Enfin, il parvint à fendre la foule et découvrit ce qu'il aurait préféré ne jamais voir. L'enfant se tordait en gémissant aux pieds du marchand, et l'homme, hors de lui, frappait telle une furie, sous les hurlements du public avide de sang et de larmes.

– Fouettez-le ! Fouettez-le !

Grimaçant sous la douleur, l'enfant essayait de se protéger, mais il était impossible d'échapper aux coups. Le fouet balayait l'air, le fustigeait et déchirait sa peau tendre comme les ronces et les épines déchirent la chair des agneaux gambadant dans la nature.

Spontanément, le berger voulut mettre fin à cette folie en se jetant dans la mêlée pour protéger l'enfant, arracher le fouet des mains du marchand et arrêter ce déchaînement de cruauté. Pourtant il hésita, réfléchit et se demanda de quel droit. La loi n'autorisait-elle pas ce type de châtiment ? Que diraient les anciens ?

Toutes sortes de questions fusaient dans son esprit, tels de violents éclairs à travers un ciel d'été torride.

Soudain, il fut réveillé de sa stupeur.

– Père, j'implore ta miséricorde ! hurla le garçon.

Le cri perça l'air et le cœur du berger. Il comprit.

Personne n'a le droit d'infliger une telle souffrance à un enfant.

Nulle loi n'autorise à châtier quiconque de la sorte.

Le berger prit une profonde inspiration et se précipita au secours du garçon.

Malheureusement, trop tard. Sans prévenir, le marchand relâcha son fouet. Il en avait assez de battre son fils. Purement et simplement. Épuisé, mourant de chaleur, il déposa son arme et s'en alla quérir à boire.

La foule, déçue de voir le spectacle prendre fin, se dispersa. Le berger était aux côtés de l'enfant, toujours à terre. Le garçon se mordait les lèvres et retenait ses larmes, luttant pour être vaillant, comme son père le lui avait enseigné. Courageux, il rassembla ses dernières forces, se redressa et accepta une gorgée d'eau de la gourde en peau du berger. Celui-ci soigna délicatement ses plaies. Peu de mots furent échangés par l'enfant et le berger, mais un profond courant de sympathie passa entre eux avant que l'enfant ne s'éloigne.

Ce soir-là, quand le marchand rompit le pain, son frère lui demanda comment s'était passée sa journée.

— Rien de particulier, répondit l'homme. Une journée comme les autres.

Une petite voix douce

TU LAPIDERAS LE BÂTISSEUR respon-sable d'une maison qui s'écroule sur ses occupants.

Tu couperas la main du bandit qui pille le bétail, les céréales ou le vêtement d'autrui.

Tu fustigeras l'enfant qui défie son père. Car telle est la loi et il faut obéir à la loi.

Depuis des générations, le pays était gouverné par ces coutumes d'airain. Personne ne se demandait s'il était juste d'humilier un enfant ou d'exécuter un assassin. Œil pour œil, dent pour dent, c'était la loi du talion, et elle faisait marcher le monde.

Mais qui sait s'il n'y en a pas une autre ? se demandait le berger.

Il était étendu de tout son long dans un champ ouvert sous une myriade d'étoiles scintillantes et réfléchissait aux événements dont il avait été témoin. Sa journée avait commencé dans une bourgade voisine où il avait vu un fermier lynché pour avoir vendu une vache malade. À chaque fois qu'une pierre frappait l'homme, la foule assoiffée de sang lançait des cris d'enthousiasme.

Plus tard dans la matinée, il avait traversé un village où deux clans se disputaient à propos d'une cruche d'eau brisée. Le potier qui l'avait vendue avait beau reconnaître sa faute, en toute honnêteté, il avait été traîné jusqu'à un piquet et avait reçu quarante coups de fouet sous les yeux de spectateurs qui sifflaient et lui crachaient dessus. Enfin, le berger avait assisté au spectacle de l'enfant impitoyablement battu par son père. Tout cela avait eu lieu strictement et conformément à la loi.

N'était-ce pas assez pour que toute personne craignant Dieu se demande où était Dieu ce jour-là ? Pourquoi n'avait-il pas envoyé un messager au secours de l'enfant ?

Le berger ferma les yeux... Il dérivait lentement vers le sommeil quand il entendit une petite voix douce murmurer à son oreille : « J'ai envoyé quelqu'un à son secours. Je t'ai envoyé, toi. »

Léger comme une plume

LE BERGER DORMAIT. IL RÊVAIT.

Il se trouvait dans une contrée lointaine couverte de prés verdoyants. Là, il n'était point de buissons de ronces pour blesser les moutons ni de fossés au fond desquels on pouvait tomber. C'était un paysage étrange, mais rassurant, dominé par la présence d'un vieil homme flétri, assis sur un coffre en bois au milieu d'un carrefour, qui semblait se trouver là pour indiquer la route.

– Bonjour, dit le vieil homme. Tu es à la recherche de quelque chose, si je ne me trompe...

– Comment l'as-tu deviné ? demanda le berger.

– À cause de l'expression de ton visage. La plupart de ceux qui arrivent jusqu'ici sont à la recherche de la nouvelle voie. Je peux t'en indiquer la direction, mais il faut d'abord que tu allèges ton cœur.

Le vieil homme sortit une balance à plateaux de son coffre.

– Attends, dit-il en se grattant la tête, où ai-je mis ma plume ? Ah ! la voilà.

Joyeux comme un enfant dans un atelier de jouets, le vieil homme déposa la plume sur un des plateaux de la balance. Puis il tendit la main vers la poitrine du berger et retira son cœur qui battait à un rythme régulier et paisible.

– Que fais-tu ? demanda le berger.

– Ne t'inquiète pas. Ton cœur est attaché à toi par un fil d'or invisible. Il ne peut rien t'arriver.

Le vieil homme se tint immobile puis recula.

– Voilà, c'est parfait. Maintenant, pesons le tout, dit-il en posant le cœur sur le plateau face à la plume.

Le berger regardait, perplexe, son propre

cœur battant sur la balance. C'était une expérience bizarre et pourtant très naturelle.

Le plateau qui supportait le cœur s'affaissa légèrement.

— Hum, dit le vieil homme. Il est un peu lourd. As-tu été affecté ces derniers temps ?

— C'est important ?

— Très important, oui. Car il est recommandé de voyager le cœur léger, en évacuant la tristesse, la colère et la peur. Ainsi que la jalousie, le blâme et le dépit.

— Comment ?

— Chaque matin, au réveil, adresse-toi à l'aube et engage-toi à avoir le cœur léger comme une plume. Renouvelle ta promesse tous les soirs au coucher du soleil.

— Et que se passera-t-il ?

Le vieil homme avait disparu. Le rêve s'était évanoui.

La carte du trésor

L E LENDEMAIN MATIN, lorsqu'il vit le soleil se lever, le berger promit à l'aube qu'il tâcherait d'avoir le cœur léger comme une plume. Il chaussa ses sandales, tondit ses bêtes et leur donna à boire, puis alla sur la route qui menait à la sortie du village. Il avait décidé de retrouver l'enfant pour s'assurer que la colère de son père était passée.

– Comment vas-tu ? s'enquit-il quand il reconnut l'enfant debout à côté de l'âne.

Le garçon était haut comme trois pommes. Il avait des cheveux noirs et des yeux bleus, et l'une de ses jambes était protégée par un bandage blanc. Il se tenait devant une modeste habitation de briques cuites de couleur claire.

– Il va bien, répondit une voix douce et chantante.

C'était la voix d'une femme d'une vingtaine d'années à peine, à la peau veloutée. Elle sortit de la maisonnette, curieuse de savoir si ce visiteur inattendu était celui qui avait porté secours à l'enfant la veille. Elle découvrit un homme élancé et musclé, un bâton à la main, un baluchon sur l'épaule et un troupeau serré de moutons autour de lui.

Comme elle se méfiait des étrangers, la jeune femme se tint à distance, jusqu'au moment où elle vit le berger passer ses longs doigts dans la toison de chacune de ses bêtes, éliminant délicatement les bractées crochues des bardanes et peignant leur toison.

– Vous vous occupez de vos bêtes à merveille ! s'exclama-t-elle.

– Et elles s'occupent de moi à merveille, répondit le berger. Elles me tiennent compagnie quand je me sens seul, et elles me réchauffent quand j'ai froid le soir.

Il se présenta : Joshua, fils d'Isaac, et expliqua qu'il était en voyage. Puis il fit un geste vers l'enfant, nommé David, ébouriffant tendrement ses cheveux telle la laine d'un agneau. Le garçon se rapprocha de lui.

– Je m'appelle Élisabeth, répondit la jeune femme, dont les beaux yeux bleus brillaient. Mais où vas-tu ainsi ?

Elle dégagea de la main ses cheveux noir corbeau et révéla les traits fins d'un joli visage rond.

– Je ne sais pas encore, répondit le berger, mais je sens que je dois trouver la nouvelle voie. Car j'en ai rêvé.

– Mon grand-père m'a parlé de la nouvelle voie peu de temps avant sa mort. Il m'a même prédit l'avènement d'un âge de miracles le jour où cette voie serait redécouverte.

Les beaux yeux brun clair du berger s'écarquillèrent tant il fut étonné. Ses longs cheveux lui arrivaient aux épaules et encadraient son visage avenant.

– Grand-père aurait voulu accomplir le voyage lui-même pour la découvrir, mais, le temps de trouver la carte pour se guider, il était déjà âgé et aveugle.

– Sais-tu où se trouve cette carte, aujourd'hui ?

– Je l'ai cachée au fond du puits.

– Pourquoi tant de précautions ?

– La nouvelle voie représente un certain pouvoir, c'est pourquoi ceux qui gouvernent la redoutent. On dit qu'elle peut bouleverser l'ordre du monde.

Les paroles de la jeune femme suscitèrent chez le berger un sentiment d'urgence et une détermination comme il n'en avait jamais éprouvés. Qui était cette femme ? Elle dégageait une aura unique tout en lui inspirant une confiance absolue. Il sentit germer en lui les graines de l'amitié pendant qu'ils conversaient.

Il n'eut pas le temps d'en dire davantage, car elle le mena jusqu'à une petite table installée en plein air sur le côté de la maison. Le soleil tapait haut et fort, mais la table était dressée à l'ombre d'un olivier. Des oiseaux allaient et venaient autour de l'arbre pour y construire un nid de brindilles et de feuilles. La jeune femme avait préparé des figues, des dattes, du fromage et du lait et invita le berger à se joindre à eux.

Joshua se restaura tout en observant la maison, qui semblait vide et sombre. Le père de David était peut-être aux champs, et Élisabeth devait attendre son retour.

– Le marchand..., s'enquit Joshua quand l'enfant ne pouvait plus l'entendre, doit-il bientôt rentrer ?

– Oui, répondit Élisabeth. Il ne décolère pas depuis son retour du marché. Il a renié son fils. C'est moi qui suis désormais sa gardienne.

Elle ajouta qu'il leur avait demandé à tous deux de trouver une nouvelle maison.

Accablé de tristesse, le berger secouait la tête. Comment le cœur du marchand avait-il pu se transformer en un tel bloc de haine ?

Élisabeth vit le chagrin dans les yeux de Joshua. Le repas achevé, elle envoya David chercher sa flûte et son tambourin dans la maison. Elle battit le rythme avec enthousiasme, et tous trois se mirent à danser et à rire au point d'en avoir mal au ventre.

Le soleil de l'après-midi s'était déplacé à l'ouest quand Joshua demanda s'il pouvait dormir dans le grenier à foin. Il comptait repartir tôt le lendemain matin.

Élisabeth accepta aussitôt, surprenant le berger en ajoutant :

– Nous autoriserais-tu à passer la nuit à tes côtés ?

Le début du voyage

C'EST AINSI QUE, LE LENDEMAIN MATIN, tous trois commencèrent leur longue marche, guidés par la carte qu'ils avaient trouvée dans une jarre en terre cachée au fond du puits.

Ils traversèrent des villages et des villes, gravirent des collines et des monts et, à la fin de la première journée, arrivèrent dans un hameau. C'est là qu'ils rencontrèrent le Conteur.

L'homme était assis sur le sol, sous un dais gonflé par le vent, dans un petit jardin. De taille menue mais de port majestueux, il portait une tunique blanche comme le lys, rehaussée d'une large ceinture dorée et d'un haut turban rouge vif. Il était entouré de piles de livres à la reliure de cuir, de rouleaux de papyrus, de plumes d'oie et d'encres de toutes les couleurs.

– Venez ! Asseyez-vous ! s'écria-t-il en indiquant des coussins éparpillés autour de lui.

Comme s'il attendait des invités, il avait préparé du pain et du vin, du poisson et de l'huile d'olive, en quantité suffisante pour nourrir une petite assemblée.

– Ma table est pleine, et je vous accueille avec plaisir.

– Merci pour votre générosité, l'ami, répondit le berger. Notre estomac est vide, mais notre bourse l'est aussi. Comment pourrions-nous vous payer en retour ?

Son ventre gargouillait tandis qu'il parlait. David et Élisabeth l'observaient d'un air inquiet.

– Il suffit d'une histoire, répondit l'homme. J'ai beau gagner ma vie en en racontant, je ne me lasse jamais d'écouter celle des autres.

Ils burent et mangèrent à satiété. Puis le berger commença son récit.

Il était une fois un petit garçon dont le plus grand bonheur était de se précipiter dans l'étable, au printemps, quand les brebis, les truies et les vaches mettent bas. Le plus souvent, ces naissances se déroulaient sans incident, même si les bêtes saignaient abondamment. Les longues heures de travail de la mère s'achevaient par le spectacle de l'enfant ravi serrant contre sa poitrine l'animal nouveau-né.

Un jour, après la naissance d'une portée d'agneaux, le père de l'enfant demanda, l'air grave, qu'on apporte de l'eau.

– C'est pour leur rincer les yeux ? demanda l'enfant, innocent.

– Non, répondit le père. C'est parce qu'un avorton vient de naître.

– Pourquoi as-tu besoin d'eau ?

– Pour l'arracher à sa misère.

– Tu veux dire que c'est pour le noyer ?

L'enfant fut saisi d'un tel désarroi qu'il supplia son père de le noyer à la place du nouveau-né.

– Ne sois pas sot, le réprimanda son père.

Si tu veux survivre en ce monde, il faut que tu te fasses le cuir, comme les bêtes.

Mais l'enfant était obstiné. Il ne pouvait se contenter d'une telle réponse. Il continua à plaider en faveur de l'avorton, si menu qu'il tenait dans la paume de sa main.

– Que tu es bête, répétait son père.

Il finit par se lasser d'argumenter et renonça.

Les jours suivants, l'enfant fabriqua un minuscule berceau avec de vieux bouts de tissu. Il nourrissait son protégé deux fois par jour avec le lait de la mère. L'agneau n'ouvrait pas encore les yeux, mais, dès qu'il sentait le garçon approcher, il reniflait l'air.

Les gardiens de troupeaux des environs s'esclaffèrent lorsqu'ils apprirent que l'avorton se nourrissait en léchant du lait sur les doigts de l'enfant.

– Quel est l'imbécile qui autorise son fils à jouer à l'infirmière pour un avorton aveugle et muet ? demandèrent-ils.

Avec le temps, le petit animal récupéra la force et la bonne santé de ses frères et sœurs. Un an plus tard, le père demanda un jour à l'enfant d'aller le chercher. C'était l'heure du marché et les animaux devaient y être conduits. L'enfant supplia son père d'épargner son agneau chéri. Le père demeura de marbre.

— Sache-le, mon fils, dit-il, c'est ainsi que va le monde.

— Personne ne peut-il changer le cours du monde ? Les potiers n'imposent-ils pas de nouvelles formes en modifiant leurs tours ? Les bâtisseurs ne sont-ils pas toujours à la recherche de fondations plus solides, remplaçant le sable par la pierre, par exemple ?

— Tu es fils de fermier, tu n'es pas destiné au pouvoir.

— N'ai-je pas le pouvoir qui m'appartient à moi seul ?

Finalement, l'homme alla au marché en abandonnant l'agneau aux bons soins de son fils.

— L'enfant, c'était moi, dit le berger, et ce jour-là je me suis engagé à ce que jamais mon mouton ne subisse la lame glaciale de la hache du boucher. Voilà pourquoi je vis en vendant de la laine.

— Ah ! dit le Conteur, à présent, je te connais. Tu es un homme de conviction.

Je te remercie de nous avoir raconté ton histoire.

Ce fut au tour d'Élisabeth de parler. Sa voix était douce comme le vent du désert.

⊰ L'histoire d'Élisabeth ⊱

Il était une fois une femme dotée d'une grande fortune qui vivait dans une demeure royale. Elle ne portait que des robes en soie et n'utilisait que des nappes tissées de fils d'or. Elle buvait dans des coupes en or et se nourrissait dans des assiettes en argent.

Hélas, elle n'était pas heureuse, jusqu'au jour où elle appela sa servante.

– Qui de nous deux est la plus noble ? demanda-t-elle à la servante. Celle qui est assise à la table ou celle qui sert ?

La servante demeura muette. Elle ne voulait pas offenser sa maîtresse. Elle ne pouvait pas non plus lui mentir.

La dame insista pour obtenir une réponse, et la jeune fille finit par céder.

– Madame, dit-elle, les personnes assises autour de la table méritent-elle d'être qualifiées de nobles quand elles sont esclaves de leurs désirs et de leurs vœux égoïstes ? Et celles qui servent à cette même table sont-elles inférieures parce qu'elles sont libres d'aimer ? Car, vous le savez : qui donne de l'amour en reçoit en échange. Qui comprend est compris en retour. Qui console est consolé à son tour. Telle est la plus haute et la plus belle loi des hommes.

Ce jour-là, la servante fut libérée pour avoir dit avec douceur des paroles fortes et avec force des paroles douces.

La jeune fille rentra chez elle pour dire adieu à son grand-père agonisant puis s'en alla battre la campagne, jusqu'au jour où elle trouva du travail chez un marchand. Quand celui-ci renia son fils, elle recueillit l'enfant.

— La jeune fille, c'était moi, dit Élisabeth, et aujourd'hui je suis la gardienne de mon frère.

— Ah ! s'exclama le Conteur, à présent, je te connais. Tu es diseuse de vérité.

Et le Conteur remercia Élisabeth.

— Et toi, mon petit, ajouta-t-il en se tournant vers l'enfant. Quelle histoire peux-tu nous raconter ?

– Une histoire qui ne comporte ni bienfaiteur ni diseuse de vérité. Car cette histoire est la mienne. Je suis David, fils de personne. Ma mère est morte en me donnant le jour. Mon père me battait et me reprochait d'être idiot et paresseux jusqu'au jour où il m'a chassé et renié. À présent, je suis orphelin, sans mère, ni toit, ni droit de naissance.

Le garçon jeta un long regard sur ses pieds sales, poussiéreux, la chair à vif. Ses vieilles sandales étaient usées jusqu'à la corde et ses lanières déchirées.

– Écoutez-moi ça, s'exclama le Conteur. Quelle triste histoire pour un si jeune enfant !

– Vous ne le croyez pas ? protesta Élisabeth. Cet enfant parle en toute sincérité, pourtant.

– Certes, mais un Conteur doit savoir choisir, répondit l'homme. Certains habillent leurs personnages d'un manteau de désespoir, d'autres préfèrent les vêtir d'un manteau d'espoir. De même, certains affirment que le verre de vin est à moitié vide, d'autres qu'il est à moitié plein, ajouta-t-il en indiquant la carafe sur la table.

– David, écoute-moi, reprit-il, là où régnait la tristesse, ta nouvelle sœur t'a apporté la joie. Là où régnait la solitude, le berger t'a apporté la compagnie.

Le garçon se tenait droit et immobile. Il était tout ouïe.

— Aujourd'hui il est donc temps pour toi de tourner la page et de raconter une nouvelle version de ton histoire. Désormais tu es un petit garçon qui marches avec des sandales neuves, car les anciennes ont disparu comme la vieille peau craquelée d'un serpent.

L'enfant réfléchissait. Élisabeth s'approcha de lui et lui prit la main. Soudain, son visage s'illumina.

— Je suis David, frère d'Élisabeth, s'exclama-t-il. Ma mère est morte au moment de ma naissance, mon père m'a maudit, pourtant, je n'avance jamais seul. Tel est mon bonheur, la présence de ma sœur et la protection de mon berger. Mon âne est aussi mon ami.

— Ah ! s'exclama le Conteur. Tu n'es plus une victime, tu es un être vivant. À présent nous te connaissons. Tu es David, l'enfant de la chance.

Après avoir raconté leur histoire, les trois voyageurs contemplèrent le soleil déclinant. L'heure de parquer les moutons et l'âne avant de trouver une auberge approchait. Ils s'apprêtaient à partir quand le berger se tourna vers le Conteur.

– Et toi, l'ami ? Avant que nous reprenions notre route, nous ferais-tu l'honneur d'une histoire ?

Le Conteur ne répondit pas tout de suite. Il tira la langue et l'agita de droite et de gauche tel un serpent prêt à mordre. Puis il évoqua le nom de Kulfi, le charmeur de serpents qui avait goûté à l'arbre de la connaissance. C'était un homme qui jeûnait souvent et dormait sur un lit d'aiguilles. Un homme dont le seul nom provoquait l'effroi, même chez ceux qui ne l'avaient jamais vu de leurs propres yeux.

L'histoire de Kulfi,
le charmeur de serpents

U N JOUR, KULFI ANNONÇA qu'il préparait une représentation. Les gens accoururent aussitôt, venant parfois de kilomètres à la ronde pour voir ce petit homme noueux qui portait un gros turban blanc et une épaisse moustache noire. Kulfi les attendait, assis en tailleur au sommet d'un tertre, devant un panier qui cachait un serpent. Il demanda aux spectateurs de réciter une prière pour le protéger et pour apaiser le serpent. Puis il ferma les yeux, prit sa flûte, respira profondément et émit un son léger venu d'ailleurs.

L'exquise mélodie se déroulait... mais rien ne se passait. Le public commençait à s'agiter.

Il avait payé cher pour venir voir Kulfi et s'attendait à un spectacle digne de ce nom. Le grand Kulfi était-il capable de réveiller le serpent ?

La patience du public était à bout quand, soudain, le couvercle du panier voltigea et la tête du serpent surgit. C'était une créature jaune et noire, couverte de taches en forme de diamants. Le serpent oscilla de droite et de gauche, charmé par la musique.

– Ahhhhh ! s'exclamèrent en chœur de nombreux spectateurs.

Lorsque le serpent eut entièrement déroulé son corps, chaloupant au plus haut dans les airs, Kulfi s'inclina en avant. Le public était bouche bée, impatient de voir ce que leur réservait ce mystérieux sorcier. C'est alors que Kulfi tendit le cou et se rapprocha dangereusement du serpent avant de déposer un baiser sur sa tête. C'était plus que quiconque n'en avait demandé. Le grand Kulfi jouait avec la mort !

Seul un enfant dans la foule était sceptique. Coincé derrière les bourrelets d'une grosse femme, il ne voyait rien. Discrètement, il se faufila hors du public, repéra un arbre, grimpa sur la plus haute branche et s'installa là où les moineaux et les aigles construisent leurs nids.

Ainsi perché, il avait une vue parfaite sur le spectacle. Le serpent ondoyait voluptueusement sous les regards de la foule tétanisée. Mais qui était réellement sous le charme ? Le serpent dansant au son de la flûte, ou le public ?

C'est alors que l'enfant aperçut Dodo, l'assistant de Kulfi, qui se glissait dans le public sur la pointe des pieds. Avait-il bien vu ? Ses yeux ne le trompaient-ils pas ? Dodo était en train de se servir dans les bourses et les poches des spectateurs, aspirant discrètement leurs biens dans la manche de sa tunique.

– Attention ! s'écria le garçon. Dodo est un voleur, je l'ai vu glisser sa main là où elle n'a pas le droit !

– Tais-toi, sale gamin ! maugréa une femme. Tu gâches tout.

Le spectacle terminé, le garçon rampa jusqu'au refuge de Kulfi et vit le charmeur de serpent et son assistant se partager le butin. À côté de Kulfi gisaient le couteau avec lequel il avait tranché les glandes vénéneuses du serpent et le fil et l'aiguille avec lesquels il avait noué la mâchoire du reptile.

– Ainsi, conclut le Conteur, le garçon apprit à se méfier des foules flatteuses et souriantes et des gens du Mensonge qui charment et séduisent autrui. À partir de ce jour-là, il chercha à habiter de plus hautes terres, celles qui offrent une meilleure vue.

« Je le sais, car cet enfant, c'est moi. Désormais, j'observe le monde de mes propres yeux et je n'accepte que les présents qui me reviennent en propre, comme chacun devrait le faire.

Le Conteur fit une pause et se tourna vers ses visiteurs prêts à partir.

– Vous êtes très loin de chez vous, dit-il. Où allez-vous ainsi ?

– À la recherche de la nouvelle voie, répondit le berger.

– Nombreux sont ceux qui poursuivent cette quête. Hélas, personne n'en revient jamais. Peut-être ne savent-ils pas que trouver cette voie demande de dévoiler ce que l'on cache au fond de soi, car seul ce que l'on cache peut nous sauver.

– Conteur, tu parles sous forme d'énigmes.

Qu'entends-tu exactement par là ? demanda le berger.

– Tu comprendras bien assez tôt, quand le dernier chapitre s'écrira et que le héros apparaîtra.

Sur ces mots, le Conteur referma son livre. Les voyageurs le remercièrent pour sa générosité et s'en allèrent chercher un abri pour la nuit.

Le soldat malgré lui

L E MYSTÈRE ET LA LUMIÈRE du crépuscule irradiaient la terre.

Personne au monde n'aimait cet
instant de la journée autant que
Joshua. Après avoir parqué les moutons et
l'âne puis installé Élisabeth et David dans
une auberge, il contempla l'horizon. C'était
une soirée superbe, dégagée, apaisante. Le
soleil chaud disparaissait au ralenti comme
une balle de magicien, plongeant derrière les
collines au loin. Combien de fois, quand il
était enfant, Joshua s'était-il allongé dans les
champs ou dressé au sommet d'une colline
pour admirer le coucher du soleil ! Ce soir-là,
la beauté du crépuscule lui rappela qu'il

s'était engagé à maintenir son cœur léger comme une plume.

Comme sa mère et sa grand-mère, Joshua était une âme simple. Quand tant d'hommes se lancent à la conquête du monde pour amasser des trésors, construire des monuments destinés à l'éternité et laisser derrière eux une fortune, son but était de pratiquer la justice, de prêcher la miséricorde et de parcourir la terre avec humilité. Une voix intérieure l'appelait, dont il avait senti les premiers frémissements dès l'enfance, quand il travaillait à l'étable où il couvait les animaux comme une poule couve ses poussins. C'est là qu'il avait commencé à méditer et à interpréter la vie telle une immense tapisserie dont les points les plus solides étaient l'amour et la bienveillance.

Plus tard, adolescent, il avait partagé les corvées ménagères avec sa mère et sa grand-mère. Les deux femmes pétrissaient et cuisaient le pain, allaient puiser l'eau, mais elles étaient aussi sages-femmes et mettaient au monde les enfants de la contrée. Souvent, quand elles préparaient leur carriole tirée par l'âne pour aller aider une femme en couches, elles emmenaient Joshua afin qu'il les assiste. Au fil de ces voyages, Joshua avait appris la bonté : la douceur des mains qui soulagent la femme en travail, le linge mouillé qui rafraîchit un front en sueur, les paroles attentionnées qui rassurent la jeune mère berçant son nouveau-né. Plus que tout, il avait compris la fragilité de la vie humaine.

Cette ultime vérité fut mise à l'épreuve quand Joshua eut seize ans.

Le jour de son anniversaire, un messager du roi arriva à la ferme avec un avis de conscription. Les forces armées du roi se préparaient à la guerre, et Joshua était de ceux à qui l'on avait ordonné de quitter leur foyer pour rejoindre le camp d'entraînement. Les insoumis étaient mis aux fers et lynchés.

– Comment pourrais-je me battre ? demanda-t-il à sa mère.

Elle lui serra la main en pleurant mais ne put lui répondre.

– Ah, voilà notre mauviette ! s'exclama le capitaine de la garde quand il vit Joshua arriver au camp peu après.

Il martela le sol pour le couvrir de poussière et voir sa réaction.

Joshua demeura debout, silencieux.

Puis le capitaine lui jeta un lance-pierres

et lui demanda de tirer sur un oiseau. Joshua, qui maîtrisait très mal cette arme, hésita avant d'admettre qu'il répugnait à tuer un être vivant.

– Puisque c'est ainsi, nous t'appellerons le guerrier pacifique, conclut le capitaine en riant. Mais quelle bonne volonté opposeras-tu à l'ennemi lorsqu'il passera à l'attaque ?

Le jeune homme ne dit rien, laissant filer les railleries et les sarcasmes telle une brise fraîche en fin d'après-midi. Il observait le capitaine, quand il vit que son cheval était mal en point. Ses côtes étaient saillantes, et ses yeux vitreux. Délicatement, il caressa l'animal, qui souleva la queue en hennissant faiblement.

– Tu sais parler aux animaux ? demanda le capitaine, surpris de voir que le jeune homme avait remarqué la fragilité de son cheval.

– Cette bête a besoin d'une racine spéciale mélangée à de la nourriture, et le plus vite possible, répondit Joshua. C'est urgent.

Le capitaine l'écouta. C'était son cheval préféré, et tous les jours il le voyait perdre du poids. Il serait bientôt trop faible pour être monté.

Une bourse en soie à partir d'une oreille de truie

ES TROIS AMIS SE RÉVEILLÈRENT à l'aube. Ils consultèrent la carte et empruntèrent une route qui montait. Ils finirent par entendre un son étrange.

– Aahhh…, râlait une voix rauque. Oohhh…

Quelle qu'en fût la source, la mélopée était si discordante que David se boucha les oreilles.

– Aahhh ! poursuivait la voix masculine.

La route obliquait. Ils firent quelques pas et soudain le virent : debout face à eux, devant une boutique d'apothicaire, un homme ventru et chauve, dont les yeux brillaient et dont la taille était entourée de perles et de coquillages. Il ne portait pas de tunique blanche, comme ont coutume d'en porter les hommes des pays chauds, mais une tunique bleu pâle avec des plumes bigarrées cousues sur les épaules.

– Que vois-je là ! s'exclama l'homme, enchanté par cette rencontre inopinée. Ne vous inquiétez pas, je faisais des exercices pour mes poumons. Je m'impose quelques vocalises tous les matins pour me maintenir en forme.

Puis il se présenta : Orion, l'Apothicaire, et les invita à boire un thé dans son échoppe. Ravis de pouvoir se rafraîchir, les trois amis ne se firent pas prier et découvrirent une pièce sens dessus dessous, remplie de potions, d'herbes et de bouts de ferraille. Les murs étaient couverts de sigles indéchiffrables, de formules mathématiques, de recettes de remèdes et de proverbes, le tout peint ou écrit à la main. Sur la table autour de laquelle il les invita à s'asseoir, était déployée une carte dessinée elle aussi à la main.

– Où se trouvent ces falaises ? demanda le berger en examinant le tracé, qui ressemblait fort à celui de la carte d'Élisabeth.

— Au-dessus de la grotte qui fait face à la Grande Mer intérieure, à quelques jours de voyage d'ici, répondit l'Apothicaire. J'y vais parfois afin d'y ramasser les pierres et les coquillages dont j'ai besoin pour mes expériences.

— Vous connaissez la grotte, donc ? poursuivit le berger.

— De réputation seulement. C'est un endroit très dangereux, souvent inondé, qui attire les voyageurs en quête de la nouvelle voie. Beaucoup y sont entrés en espérant y découvrir la clé de certains mystères, mais peu en sont revenus.

Le berger, tout ébaubi, écarquilla les yeux. Les questions se bousculaient dans son esprit, mais il fut devancé par David.

— Qu'est-ce que vous fabriquez, là ? demanda l'enfant en fourrant son nez dans un pot en cuivre d'où s'échappait de la fumée.

— Une bourse en soie à partir de l'oreille d'une truie, répondit l'Apothicaire.

— Vraiment ? fit l'enfant, dont la confusion appelait des explications.

— Tu es déjà allé dans un abattoir, j'imagine ? reprit l'Apothicaire. C'est un endroit épouvantable, plein de sang et de viscères, que j'évite autant que faire se peut. Mais un jour j'y étais et j'ai vu une femme extraire une oreille de truie d'une pile de peaux et d'entrailles. Plus tard, je l'ai revue au marché, elle était en train de coudre des perles sur cette étrange objet râpeux et répugnant. Je l'ai interrogée, et elle m'a expliqué qu'elle fabriquait une bourse destinée à une noble dame. La métamorphose était ahurissante, alors j'ai réfléchi... La chenille se transforme en papillon, le bourgeon se métamorphose en fleur, quels sont donc les éléments susceptibles de telles transmutations ? Le métal se métamorphoserait-il en or ?

– Je ne sais pas, répondit le garçon.

– Tu ne peux pas le savoir, bien entendu. Mais tu es un esprit ouvert et curieux, prêt à accueillir la nouveauté. La plupart des gens sont défaitistes et ne cessent de répéter que l'on ne parviendra jamais à changer quoi que ce soit. Heureusement, ils n'ont pas mis fin à tes espoirs et à tes rêves. Ni aux miens. C'est pourquoi je sonde les mystères de ce monde et cherche à éprouver les limites du possible.

Pendant que l'Apothicaire parlait, le berger se remémorait l'agneau qu'il avait élevé. Les gens avaient beau se moquer de lui quand il allait traire du lait pour le nourrir, l'avorton avait survécu et grandi.

Élisabeth, elle, songeait à la dame de sang royal qui l'avait libérée. La loi avait beau interdire aux esclaves de s'adresser directement aux maîtres, elle avait osé élever la voix et y avait gagné la liberté.

– Qu'est-ce que c'est ? demanda David en désignant un grand pot métallique qui crachait un épais nuage de fumée blanche, telles les vapeurs d'une lanterne magique.

– C'est une potion que j'ai mise au point pour une mère aux abois car son enfant souffrait d'une maladie incurable. Les médecins avaient abandonné tout espoir de le sauver. Lorsqu'elle est venue implorer mon aide, je lui ai d'abord offert une tasse de thé, comme à tout visiteur anxieux, puis j'ai prié et récité d'antiques paroles incantatoires. Contre toute attente, l'enfant s'est remis. Quelque temps plus tard, les gens faisaient la queue devant mon échoppe pour obtenir un peu de mon élixir.

Le garçon brûlait d'envie de poser d'autres questions, mais cette fois c'est lui qui fut interrompu par Joshua.

– Une longue route nous attend. Nous devons partir.

Le berger remercia l'Apothicaire, et les trois amis s'en allèrent. Ils s'étaient à peine éloignés que retentit la voix de l'Apothicaire.

– Femme ! hurla l'homme en se précipitant vers Élisabeth, un petit sac à la main. Je te confie cette potion qui vous sera peut-être utile. Mais sois prudente, elle est particulièrement puissante.

Élisabeth le remercia, et les voyageurs reprirent la route.

Voir, c'est croire

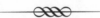

BBA ET BABA, JONAS ET IONA, Câlin et Patin, Lev et Zev... Zev ?

— Où est-il ? demanda David. Je ne le vois plus.

La vie d'un mouton est monotone. Brouter, dormir, boire, marcher, copuler, mettre bas, produire de la laine... C'est tout ce que font les moutons, sauf quand ils sortent du rang, et c'est ce qui avait dû arriver à Zev, l'adorable mouton noir au regard pur que David cherchait partout.

— Il a dû filer picorer des baies, répondit le berger. C'est un sacrée petite canaille, tu sais.

David hocha la tête, mais il n'avait de cesse de retrouver sa brebis égarée. Pour l'aider, Joshua descendit afin de scruter l'autre versant de la colline, quand il aperçut de la fumée montant d'un feu de camp. Du haut de son escarpement, il vit un homme maigre, avec un simple pagne noué autour des hanches, assis tout près des flammes comme pour en absorber la chaleur.

— Salut, vieil homme, lança le berger, tu n'aurais pas vu une brebis perdue, par hasard ?

— Je n'ai rien vu. Je suis aveugle.

— Oh, pardon ! Désolé de t'avoir dérangé, l'ami.

— Cela dit, je sais où se trouve ta brebis. Elle est coincée dans les ronces, écoute...

Un bruissement s'échappa des buissons, et peu après la brebis apparut.

— Tu veux soulager ses égratignures ? demanda l'Aveugle.

— Comment sais-tu que mon petit Zev est blessé ?

— Je vois avec mes oreilles, je sens avec mon esprit et je comprends avec mon cœur. Et ce, depuis ma plus tendre enfance.

— Étrange... Mais j'accepte, je suis sûr qu'un peu d'eau lui ferait du bien.

— Essaie le torrent de l'autre côté de

l'arête. Et n'hésite pas à y sauter à pieds joints. C'est très rafraîchissant !

Le berger pouffa. L'Aveugle était un fieffé original ! Il était assis en tailleur à même le sol, au milieu d'objets de première nécessité : des bâtonnets pour allumer le feu, des baies pour se nourrir, quelques tuniques en coton, une gourde et une canne.

– Je m'appelle Joshua. Dis-moi, l'ami, vis-tu ici, au cœur de cette nature sauvage ?

– Où voudrais-tu que je vive ? Et toi, que fais-tu ici ?

– Je suis de passage, je suis à la recherche de la grotte.

– Je vois. Tu es en quête de la nouvelle voie. C'est bien, mais sache que ceux qui y entrent ne reviennent jamais.

Le vieil aveugle décrivit alors la route qui se déroulait devant eux. Elle était infestée de brigands, et il était recommandé d'être particulièrement prudent sur le chemin menant au sommet de l'arête, d'où l'on apercevait la Grande Mer intérieure. Les voyageurs s'exposaient là à de nombreux dangers.

– À partir de là, la route descend et serpente le long du rivage. N'hésitez pas à vous reposer sur la plage, vous aurez besoin de forces. Suivez le soleil vers l'ouest et longez la côte jusqu'à ce que vous aperceviez un bosquet de grands arbres. La grotte se trouve à quelques pas de là.

Le berger ajouta qu'il avait entendu dire que la grotte était souvent inondée. L'Aveugle répondit en applaudissant des deux mains.

– Tâchez de repérer les oiseaux. Ce sont eux qui vous signaleront le moment propice pour entrer. Car eux-mêmes n'y pénètrent que lorsque l'eau est au niveau le plus bas, autrement dit quand il y a suffisamment d'air pour respirer. Mais soyez rapides ! Vous aurez très peu de temps pour obtenir ce que vous cherchez.

– Comment puis-je te remercier ? demanda le berger.

– Viens t'asseoir autour du feu avec les tiens. Vous me tiendrez compagnie.

C'est ainsi que tous trois s'installèrent autour de l'Aveugle et l'écoutèrent raconter son histoire.

❧ *L'histoire de l'Aveugle* ❧

Je suis né aveugle. Quand mon père apprit qu'il avait un fils avec deux trous noirs à la place des yeux, il ordonna à ma mère de me jeter au fond du puits. « Vite, sinon, tu risques de t'attacher à lui », dit-il. Car c'était un homme pragmatique.

Incapable de lui obéir, ma mère mit au point un plan destiné à tromper son mari. Le soir même, au moment où il se coucha, elle m'enroula dans une couverture et m'installa sur une immense feuille en m'attachant avec une longue branche de vigne. Puis elle me déposa sur le lit d'une rivière en priant pour que quelqu'un me recueille à l'autre bout. C'était la saison des semailles, et les fermiers labouraient le sol autour des berges dès l'aube.

Quand mon père se réveilla le lendemain matin, elle jura qu'elle avait suivi ses ordres et m'avait jeté au fond du puits. Un renard était apparu et s'était précipité sur moi en me déchiquetant, ajouta-t-elle.

Mon père se douta qu'il y avait anguille sous roche et demanda des preuves. Ma mère le connaissait, elle savait que son cœur de pierre n'en demanderait pas moins. Elle était passée par l'abattoir et avait rapporté les entrailles d'un porc qu'elle déposa sur une assiette afin de les lui présenter. Alors, mon père but son vin et partit travailler comme tous les matins. Quant à moi, j'ai longtemps flotté, jusqu'au moment où une famille de fermiers me trouva et me recueillit. Ils s'occupèrent de moi avec amour et tendresse. Plus tard, quand j'étais déjà grand, ma mère vint me rendre visite. Elle voulait me revoir avant de mourir, regrettant encore d'avoir été obligée de m'abandonner.

— Vieil homme, l'interrompit Élisabeth, votre histoire m'a bouleversée. Voulez-vous nous accompagner jusqu'à la grotte ?

— Tout homme doit poursuivre sa propre route, répondit l'Aveugle. Sinon, il aura terriblement mal aux pieds et il arrivera épuisé à destination. Votre destin ne vous mène pas au même endroit que moi. Cependant, je vous remercie de votre offre généreuse.

David s'était endormi, recroquevillé au milieu des moutons, protégé de la fraîcheur de la nuit tombée par leurs épaisses toisons comme s'il était des leurs. Cette nuit-là, il dormit blotti contre Zev, son ami perdu et retrouvé.

La sage servante

ERSONNE N'AIMAIT LE SOLEIL du petit matin comme Élisabeth.

Elle se leva dès l'aube, se rendit au ruisseau et lava ses vêtements. Elle sortit les moutons et l'âne afin qu'ils aillent brouter puis s'en alla cueillir des baies. Lorsque ses compagnons se réveillèrent, elle avait déjà dressé la table pour le petit déjeuner.

Comme sa mère et sa grand-mère, Élisabeth était née servante. Elle avait grandi dans la maisonnée royale, et dès son plus jeune âge elle apprit à remplir les cruches, à cueillir le raisin et à porter de gros récipients de terre. Souvent elle s'interrogeait, se demandait à quoi ressemblait la liberté, mais jamais elle ne se sentait amère ni malheureuse. Elle avait toujours à l'esprit la légende des babouins que lui racontait sa grand-mère.

Les babouins se cachaient dans les arbres dès qu'ils voyaient les membres de la famille royale jouer à la balle. Les joueurs avaient beau faire, les singes s'élançaient du haut des arbres, chipaient les balles et les balançaient n'importe où sur le terrain de jeu… jusqu'au jour où la famille royale adapta les règles du jeu et décida que l'on avait le droit de relancer la balle partout sur le terrain, quel que soit l'endroit où elle était retombée.

Élisabeth agissait de même : elle faisait rebondir la balle là où elle tombait, s'adaptait et profitait de chaque situation. Le respect et l'influence qu'elle acquit auprès de ses consœurs n'étaient pas liés au fait qu'elle aboyait ses ordres aux jeunes servantes qui dépendaient d'elle : ils venaient de ce qu'elle réfléchissait pour savoir ce qui convenait le mieux à chacune, et parce qu'elle les aidait à accomplir leurs corvées.

« Demande à Élisabeth », avait-on coutume de dire.

Car elle était très appréciée. Elle était bonne, d'humeur égale et bienveillante, et sa maîtresse aimait l'avoir auprès d'elle.

Un jour, la cour fut confrontée à une rébellion. Le conseiller politique recommanda d'adopter des mesures sévères pour mettre fin à la fronde. La dame l'écouta, congédia les courtisans, mais demanda à Élisabeth de demeurer à ses côtés.

— Pourquoi détournais-tu le regard quand le conseiller parlait ? lui demanda-t-elle.

— Votre conseiller propose de combattre le feu par le feu, si bien que tout risque d'être détruit par les flammes. Il vaudrait mieux, si je puis me permettre, se montrer d'une générosité sans faille avec les sujets qui vous mettent au défi. Car le goût du miel est meilleur que celui du vinaigre.

Quand le conseiller eut vent des recommandations d'Elisabeth, son sang ne fit qu'un tour. Il était furieux.

— Les rébellions se nourrissent du vin de la clémence, déclara-t-il.

La dame l'écouta sans mot dire. Mais, le jour même, elle donna ordre aux siens de rassembler des rouleaux des plus belles étoffes, des coffres des épices les plus rares et des fruits les plus doux afin de les livrer chez les sujets rebelles. Peu après, les deux parties s'asseyaient autour d'une table pour négocier.

À mesure que le temps passait, l'estime de la dame pour Élisabeth grandissait. Son influence augmentait, non parce qu'elle possédait un trône, une couronne ou de beaux atours, mais parce qu'elle disait la vérité, répandait l'espoir et aimait de tout son cœur ceux qui l'entouraient.

Arriva le jour où elle fut libérée. Élisabeth retourna chez son grand-père. Le vieil homme malade, allongé dans son lit, lui confia la carte en lui révélant l'existence de la nouvelle voie. Plus tard, elle partit tenir la maison du père de David.

Ce matin-là, quand David, Joshua et le vieil aveugle arrivèrent pour le petit déjeuner, elle leur servit le poisson qu'elle venait de pêcher dans le ruisseau et les baies qu'elle venait de cueillir dans les buissons. Les hommes mangèrent avec appétit. L'Aveugle avait particulièrement faim et il dévora le contenu de son assiette comme un condamné à mort son ultime repas.

— Qui sait si j'aurai jamais l'occasion de

savourer un repas aussi exquis ? dit-il. En si agréable compagnie, qui plus est.

Il se lécha les babines et se frotta le ventre en signe de satisfaction. Hélas, s'il n'avait plus faim, il éprouvait une profonde tristesse. Ses nouveaux amis devaient reprendre leur route vers la grotte, et il était désolé de se séparer d'eux.

– Viens, mon enfant, assieds-toi près de moi, dit-il à David.

– Pourriez-vous nous raconter une nouvelle histoire ? répondit l'enfant.

L'Aveugle sentit la main du berger sur son épaule. Il raconta alors une histoire qu'il avait entendue quand il était petit.

Il était une fois un loup si affamé que de la bave coulait entre ses dents pointues. Le loup rêvait de tuer un mouton pour en faire son souper. Il aurait donné n'importe quoi pour un bon repas.

Mais le loup était frustré : le berger veillait sur son troupeau avec la plus grande attention. *Pourquoi le berger est-il si prudent ?* s'interrogeait-il.

D'abord, parce qu'il aimait ses animaux.

La nuit, il se blottissait contre eux, et ils lui procuraient chaleur et affection.

Ensuite, parce qu'il savait que la nature, cruelle, permet que naissent les agneaux, les créatures les plus innocentes du royaume, qui doivent être protégées. Car les agneaux n'ont ni griffes, ni pinces, ni pieds agiles, ni force pour éviter les dangers et s'enfuir à temps. Ils n'ont aucun moyen d'échapper aux prédateurs.

C'est pourquoi le berger dormait toujours l'œil aux aguets, et le loup ne pouvait jamais réellement s'approcher.

Un jour, le loup trouva une peau de mouton abandonnée.

Hum... songea-t-il, *si je me couvre de cette peau, personne ne me reconnaîtra. L'on me prendra pour un mouton et je serai libre d'aller là où je veux.*

Ravi de sa trouvaille, le loup mit son plan à l'œuvre et se glissa au milieu du troupeau. Un agneau nouveau-né reconnut l'odeur de sa mère sur la peau du loup et le suivit sur-le-champ. Peu après, il était devenu un mets délicieux.

David frissonna.

— Quelle leçon suis-je censé tirer de cette histoire ? demanda-t-il.

— N'oublie jamais que le monde nous offre des biens fabuleux mais que les apparences sont trompeuses. Méfie-toi de quiconque se présente vêu d'une peau de mouton, car c'est le plus souvent de là que trahison et tromperie risquent de survenir.

— Mais comment le reconnaître ?

— Demeure sur tes gardes. Suis ton intuition. Méfie-toi de l'Étranger dont le sourire n'atteint jamais les yeux.

L'enfant remercia l'Aveugle pour ses conseils avisés. L'on se fit des adieux chaleureux, et les trois voyageurs repartirent.

Récompense et châtiment

ILS ÉTAIENT PRESQUE AU SOMMET de l'arête quand l'incident eut lieu.

– Aïe ! hurla l'enfant en sautillant sur un pied tandis qu'il empoignait l'autre.

– Respire un grand coup, dit Joshua. Et regarde le ciel où tournoie cet immense oiseau.

Quand il fut certain que l'attention de l'enfant était distraite, le berger ôta l'épine de sa tendre plante de pied.

– Ça y est, dit-il, il n'y a plus rien.

Il lui frotta le pied pour le soulager, et l'enfant sentit la chaleur des mains de son ami.

Élisabeth s'approcha et dégagea les cheveux de David avant d'essuyer ses larmes.

– Pourquoi ? demanda l'enfant. Pourquoi suis-je puni ? J'ai dit toutes mes prières, ce matin, et j'ai accompli mes corvées.

Aux yeux d'Élisabeth, il n'existait aucun lien entre la douleur de l'enfant et une quelconque faute qu'il aurait commise. Les réprimandes incessantes de son père lui avaient inculqué une vision amère de la vie, qu'elle rêvait de remplacer par une vision plus gaie.

– Regarde les nuages qui annoncent l'orage, dit-elle en indiquant les cumulonimbus noirs qui s'accumulaient à l'est. C'est sûrement le signe que les routes vont se transformer en boue, mais dis-toi aussi que la pluie apporte la vie et permet aux semailles de pousser. Toute chose n'arrive que pour le mieux, dans un certain sens, tu ne crois pas ?

– Mais cette épine, en quoi est-elle bonne pour moi ?

– Qui sait si elle ne te servira pas de leçon, si elle ne te rendra pas plus fort ?

L'enfant hocha la tête et sourit à sa sœur, qui disait et aimait tant la vérité.

Un calme absolu régnait sur le monde. L'enfant était à l'écoute. La grotte se trouvait à quelques pas devant eux.

Le don d'une humble épine

ARRIVÉS AU SOMMET, ils découvrirent la Grande Mer intérieure miroitant sous leurs yeux. Comme elle était belle !

– Il faut que nous trouvions de l'eau douce avant de continuer, annonça Joshua. Nos gourdes sont presque à sec.

Leur besoin d'eau douce était si urgent que Joshua suggéra à Élisabeth de se diriger vers le sud tandis que lui irait vers le nord pour essayer de trouver une source. Mais il n'avait pas oublié les mises en garde de l'Aveugle. Il recommanda à David de ne pas s'éloigner des moutons et de l'âne jusqu'à ce que tous deux reviennent. Ils ne s'absenteraient pas très longtemps.

— Les animaux te tiendront compagnie, ajouta Élisabeth. Et nous rentrerons avec des gourdes emplies d'eau.

— Oui, sœur, mais dépêchez-vous.

L'enfant s'installa au milieu du troupeau tandis que soufflait une douce brise. Il jouait du pipeau quand soudain, venue de nulle part, il sentit une main large et calleuse lui empoigner l'épaule.

— Pardonne-moi si je te surprends, dit l'Étranger en se glissant à ses côtés. J'étais à quelques pas de toi et j'ai été attiré par la mélodie. Où as-tu appris à jouer aussi bien ? Est-ce ta mère, si bonne et si jolie, qui te l'a appris ?

— Ma mère est morte à ma naissance. Je n'ai jamais vu son visage, mais on m'a dit qu'elle était douce et très jolie, oui. Je rêve souvent d'elle quand le ciel brille d'étoiles.

— Pauvre petit ! s'exclama l'Étranger.

Une profonde tristesse et une forte compassion émanaient de la voix de l'Étranger, mais étaient-elles sincères ?

David observa son visage ouvert et amical. Curieusement, il ressemblait au berger. Une seule chose détonnait : son sourire ne parvenait pas jusqu'à ses yeux. Or David se souvenait très bien de ce que lui avait recommandé l'Aveugle.

– Ma sœur n'est pas loin, appelons-la, dit-il.

– Ce n'est pas la peine, répondit l'Étranger. Je vois que tes lèvres sont craquelées à force de marcher sous le soleil brûlant. Viens, j'ai de l'eau fraîche, tu pourras te désaltérer chez moi.

L'enfant mourait de soif. La proposition semblait généreuse. Mais la fable du loup se glissant au milieu des brebis lui revint en mémoire. Les apparences peuvent être si trompeuses...

Il baissa les yeux, vit les sandales de l'Étranger et remarqua un petit couteau pointu plaqué contre l'arrière de ses mollets, sous les lanières.

– Tu aimes les noix et les fruits ? insista l'Étranger. Alors suis-moi, nous allons nous régaler. Je suis installé non loin d'ici.

L'enfant aurait donné n'importe quoi pour un aliment sucré. Le goût d'une figue mûre à point ! Il y avait si longtemps qu'il ne l'avait senti qu'il en avait oublié la saveur.

L'invitation était tentante, il avait déjà le parfum irrésistible du fruit dans la bouche. Pourquoi ne pas croire à la sincérité de celui qui pouvait lui offrir tout ce dont il rêvait ?

Suis ton intuition, lui avait conseillé l'Aveugle. *Observe ses yeux. Que te disent-ils ?*

– Ça m'a l'air délicieux, répondit-il. D'accord, je vous suis. Mais je dois rentrer avant le retour de ma sœur et de mon ami le berger. Sinon, ils seront fâchés.

– Bien sûr. Je comprends.

Ils avaient à peine fait quelques pas quand l'enfant se mit à sautiller sur un pied en agrippant l'autre.

– Aïe, aïe ! s'écria-t-il. Une épine, j'ai marché sur une épine.

En parfait comédien, il se jeta au sol et se roula dans la poussière en hurlant, provoquant un immense nuage qui effraya les moutons et l'âne. Les animaux s'enfuirent en soulevant un nuage plus impressionnant encore.

L'Étranger, désemparé, saisit son couteau. À cet instant, le berger accourut.

– Lâche cette arme ! ordonna-t-il en brandissant son bâton.

Au moment où Joshua s'interposait entre l'Étranger et l'enfant, l'image de David gisant à terre après avoir été battu par son père lui revint en mémoire. L'incident lui semblait avoir eu lieu une éternité plus tôt, mais, depuis ce jour, le berger était hanté par ce drame, car il se reprochait de n'avoir pu secourir l'enfant. Il s'était juré que jamais cela ne se reproduirait. Si l'Étranger attaquait, il était prêt à se sacrifier.

C'est alors qu'apparut Élisabeth.

– David ! hurla-t-elle.

L'Étranger fit demi-tour et disparut dans les buissons.

Élisabeth se précipita vers l'enfant et le prit dans ses bras. Elle le serra contre sa poitrine en pleurant à chaudes larmes tout en l'examinant.

– Ne pleure pas, sœur, la rassura David sur un ton apaisant, car aujourd'hui je suis comme un nouvel enfant.

– Tu te moques de moi, répondit Élisabeth.

– Tu te souviens quand j'ai marché sur une épine ? Je pleurais et je me demandais au nom de quoi j'étais puni. C'est toi qui m'as expliqué que les nuages annonçant l'orage sont aussi le signe de la pluie de Dieu, et que la souffrance est une source d'enseignement, et non un châtiment.

« Tu vois, sœur, cette leçon m'est revenue en mémoire. Elle m'a piqué au vif, comme une seconde épine. Je viens de comprendre que c'est grâce à mon pied blessé que j'ai pu soulever ce nuage de poussière qui a fait fuir les animaux et m'a sauvé la vie.

David regarda le paysage couvert de ronces. La poussière était retombée. L'Étranger avait disparu. Les moutons, les brebis et l'âne étaient tous revenus, pas un ne manquait.

Joshua sécha les larmes d'Élisabeth, et tous trois remercièrent le ciel pour la présence de David et le don de cette humble épine.

Élever des colombes

ENFIN, ILS PARVINRENT À LA PLAGE de la Grande Mer intérieure. David s'installa pour jouer du pipeau sur le rivage. Élisabeth alla tremper ses pieds dans l'eau fraîche. Joshua s'allongea sur le sable et se reposa. Tous trois réfléchissaient.

Ils avaient l'impression d'avoir quitté leur foyer depuis une éternité. Ils étaient partis confiants, à la recherche de la nouvelle voie, en suivant le rêve du berger. Une longue route sinueuse les avait amenés à croiser des personnalités remarquables, dont chacune était porteuse d'un message.

Le Conteur avait rappelé à Joshua le pouvoir de la volonté.

L'Apothicaire leur avait affirmé que tout est possible.

L'Aveugle les avait mis en garde contre les apparences trompeuses.

L'Étranger leur avait fourni la preuve que des loups peuvent se cacher parmi les agneaux.

Méditant ces leçons, Joshua tomba dans un profond sommeil. Il rêva qu'il était dans un lieu très éloigné, au milieu d'un grand pré.

— Tu es de retour, dit le vieil homme flétri. Mais cette fois tu as des questions.

— Comment le sais-tu ?

— Par l'expression de ton visage. Tu as atteint le moment le plus critique.

— Oui. J'ai déjà croisé le loup.

— Je sais, et l'agneau que tu as élevé a failli perdre la vie. À présent, tu te demandes si un homme a le droit de tuer un loup pour sauver un agneau.

— Nombreux sont ceux qui ont perdu la vie au nom du bien, répondit le berger. Ainsi va le monde.

— C'est vrai, dit le vieil homme. Mais tu

cherches la nouvelle voie, c'est toi qui me l'as dit.

Le soleil se levait, et une nichée de colombes gazouillaient pour célébrer la journée qui s'annonçait.

Le vieil homme dressa l'oreille.

— Et si chaque enfant apprenait dès le berceau à chanter la paix ? demanda-t-il. Les cyniques répondront que c'est idiot et diront qu'être bon, c'est se montrer faible. Mais, moi, j'affirme que tant que nous ne serons pas aussi purs et innocents que des colombes, la route sera longue et sombre. Nous devons élever nos enfants comme des colombes, pas comme des loups.

Joshua se demanda si le vieil homme avait encore un message à lui confier. Mais il s'était tu. Le rêve venait de s'achever.

À l'intérieur

SUIVANT LES INDICATIONS de l'Aveugle, les trois amis se dirigèrent à l'ouest, vers les arbres, en longeant le rivage. Peu après, ils repérèrent une anfractuosité dans un rocher. Ils s'arrêtèrent et observèrent ce trou noir et menaçant. C'était l'entrée de la grotte. Des gouttes de sueur perlaient sur le front de Joshua.

— Et si je n'y arrive pas ? demanda-t-il à Élisabeth. Si je manque de courage et de force ?

— C'est ton destin, affirma-t-elle. Tu as été appelé en rêve à venir jusqu'ici.

Le berger sentit la force de l'amour

d'Élisabeth et sa confiance en lui. Il lui en était si reconnaissant qu'il s'agenouilla pour la remercier. Soudain, il entendit l'enfant s'écrier, en larmes :

– À l'aide, un serpent géant essaie de m'étrangler !

Joshua se précipita sur lui mais éclata de rire en voyant David se débattre avec une branche de vigne qui s'était emmêlée autour de lui alors qu'il se promenait au milieu d'arbres luxuriants. Joshua observa la branche : c'était une liane très longue, très solide... qui pourrait lui être fort utile. S'il en attachait une extrémité à l'entrée de la grotte et l'autre autour de sa taille, elle lui servirait de sécurité et lui permettrait de retrouver facilement la sortie.

Élisabeth lui montra comment entrelacer plusieurs branches de la même façon qu'elle tressait les cheveux des dames de la cour. En deux temps trois mouvements, elle tressa de longs morceaux de liane avec ses doigts agiles pour façonner une corde de plusieurs mètres de long. Joshua était rassuré. Il l'enroula autour de sa taille pendant qu'Élisabeth accrochait l'autre extrémité à l'âne, devant l'entrée de la grotte : ainsi, il pourrait évoluer dans cette mystérieuse caverne en toute sécurité.

Par prudence, il sortit la carte de sa besace et la déroula sur le sol pour la lire avec sa compagne. Le grand-père d'Élisabeth étant un cartographe amateur, il lui avait appris à reconnaître la plupart des repères et des symboles.

Les plus importants, lui avait-il enseigné, étaient ceux indiqués à l'encre rouge.

– Cet x signifie qu'il y a une entaille, une sorte de planche taillée dans la paroi arrière, sans doute pour y déposer des vases ou des fioles de liquides précieux, expliqua Élisabeth en précisant que ce dressoir était situé à l'extrémité opposée de l'entrée.

– Ce z indique un trou dans le sol, particulièrement dangereux, par où l'eau peut monter en cas de crue de la rivière souterraine, ajouta-t-elle.

Elle prit la main de Joshua, le visage soudain assombri en songeant aux risques qu'il encourait. Ce trou dans le sol était sûrement la raison pour laquelle personne n'était jamais revenu de la grotte : les gens y pénétraient sans savoir que cette crevasse centrale menait à un abîme inconnu.

Mille questions se bousculaient dans l'esprit de Joshua. Il aurait voulu connaître les dimensions de la grotte. Il se demandait si le sol était plat ou incliné, s'il y avait de la lumière et de l'air, d'autres sorties possibles...

Quelle était la hauteur du plafond : devrait-il ramper ? Et que ferait-il si une inondation survenait alors qu'il se trouvait au fond ?

À l'aide des légendes de la carte, Élisabeth fit une estimation : il devait y avoir cinq cents pas environ de l'entrée jusqu'au fond. Impossible de savoir si l'espace était suffisamment aéré. Joshua décida donc d'emporter une torche, autant pour mesurer la quantité d'air restante que pour s'éclairer.

Élisabeth précisa que le trou devait se trouver à mi-distance entre l'ouverture de la grotte et la paroi du fond. Quant à l'inclinaison du sol, elle ne pouvait se prononcer.

Joshua la remercia, avouant que sa crainte se concentrait maintenant sur les risques d'inondation. Il se rappelait les conseils de l'Aveugle : « Tâchez de repérer les oiseaux. Ce sont eux qui vous signaleront le moment propice pour entrer. Mais soyez rapides ! »

Le ciel au-dessus d'eux était bleu, vide de

nuages. Joshua prit son mal en patience et attendit, regardant le soleil de l'après-midi décrire son long arc jusqu'au moment où une nuée d'oiseaux apparut, venue de nulle part.

C'était le moment. Il pria pour avoir la force d'accomplir sa mission.

Le moment est venu

PRÈS AVOIR FIXÉ UNE EXTRÉMITÉ de la corde à l'âne, Élisabeth s'installa sur un rocher en la tenant fermement en main. Joshua noua soigneusement l'autre bout autour de sa taille. Puis il alluma sa torche avec les braises du feu de camp.

Il éprouvait le besoin d'échanger quelques mots avec Élisabeth avant d'entrer. Ses sentiments pour elle étaient de plus en plus évidents. Les graines de l'amour qui l'attirait vers elle germaient de jour en jour. Mais son affection à elle s'épanouissait-elle aussi ?

– Élisabeth, nombreux sont ceux qui sont entrés dans cette grotte sans jamais en ressortir. Sache que si je survis à cette épreuve je souhaite passer toute ma vie auprès de toi. Acceptes-tu d'être ma femme ?

– Oui, pour l'éternité, répondit-elle, les yeux mouillés de larmes.

Puis elle l'embrassa, car l'heure était venue.

Tous deux appelèrent David afin qu'il soit le témoin de leur engagement. L'enfant bondit de joie et regarda le berger se préparer à affronter son destin.

Joshua se glissa à l'intérieur de la grotte avec prudence, une main contre la paroi, l'autre tenant la torche. À peine eut-il fait quelques pas qu'un courant d'air éteignit la flamme. Il en fut rassuré : cela signifiait qu'il y avait assez d'air. Mais l'obscurité était absolue, et il avançait tel un aveugle se frayant son chemin dans un lieu inconnu.

Le sol était de plus en plus pentu à mesure qu'il avançait. Il comptait chaque pas, posant délicatement le pied pour repérer la moindre dépression. Il avait fait deux cents pas environ quand il sentit une faille profonde du bout de sa sandale. Il fit prudemment le tour. S'il n'avait pas consulté la carte avant d'entrer, il aurait été happé par le néant, comme tant d'autres avant lui.

L'air était humide et frais, mais Joshua transpirait. Il vérifiait sans cesse la corde nouée autour de sa taille, son unique lien avec le monde, une attache tressée à la main par Élisabeth qui le reliait à tout ce qu'il connaissait et aimait.

Combien de temps encore avant d'atteindre son but ? Dans cet espace hors du temps, il lui semblait être là depuis une éternité. Était-il vraiment destiné à trouver ce qu'il cherchait ? Son rêve et son espoir étaient inépuisables, mais il avait l'impression d'être plongé dans un monde irréel. Seuls les arêtes des parois sur lesquelles il glissait les doigts lui fournissaient des repères tangibles.

Soudain, victoire ! Il la sentit : là, à un mètre environ au-dessus du sol, une ouverture rectangulaire dans le mur. D'une trentaine de centimètres de hauteur et une soixantaine de largeur, elle avait été taillée de façon particulièrement précise par quelqu'un connaissant le niveau de la montée des eaux. Quelqu'un qui devait avoir des biens précieux à protéger.

L'ouverture donnait sur un boyau beaucoup plus étroit que ce qu'il avait évalué. Il était trop grand, il fallait une personne plus menue, un enfant, pour entrer et explorer la cavité.

Quelques instants plus tard, il était de retour au-dehors. David l'attendait.

L'épreuve de l'enfant

AMAIS AUPARAVANT JOSHUA N'AVAIT PRÊTÉ attention à la taille de l'enfant. À présent, il ne le voyait plus que sous cet angle.

David était petit et maigre, très souple, capable de se recroqueviller pour se transformer en une petite boule compacte. Il n'aurait aucune difficulté à se glisser dans la brèche pour explorer la cachette. Mais Joshua avait-il le droit de lui imposer un tel risque ?

Il exposa son dilemme à Élisabeth. Elle comprit que l'enfant était leur seul espoir. Mais pouvait-on, en effet, le lancer dans une telle entreprise ?

La corde de sécurité ne posait pas de réel problème. Élisabeth en tresserait une nouvelle, très résistante, qu'elle nouerait directement autour de sa taille. En revanche, une inondation n'était pas à exclure. Mais Joshua serait à ses côtés, et, à deux, ils pourraient très vite s'échapper.

Et les serpents ? Qui sait si, dans ce lieu humide et sombre, il ne s'en cachait pas ? Les vipères, qui étaient pour lui un danger constant, ne l'inquiétaient pas.

— David ! appela Élisabeth.

Elle n'eut pas besoin de lui expliquer ce qu'ils attendaient de lui ; l'enfant devança son désir et s'adressa à elle tel un homme, affirmant qu'il avait la ferme intention d'accompagner Joshua dans la grotte.

— Mais si la torche s'éteint et que nous nous retrouvons dans le noir complet ? objecta Joshua. Si tu perds ton sang-froid avant que arrivions au fond ? Ou quand tu seras seul dans le trou ?

— Vous avez tant fait pour moi, répondit l'enfant, inébranlable, que j'estime que c'est à mon tour de vous rendre service.

Ils allèrent ramasser plusieurs plants de vigne dont ils tressèrent les branches pour façonner une seconde corde puis guettèrent l'apparition d'oiseaux dans le ciel... Ce fut l'attente la plus éprouvante de toute la vie de Joshua.

Des profondeurs,
je crie ton nom

HÉ, OHÉ, OHÉ...

David écouta l'écho de sa voix résonnant dans la grotte. Cela n'avait rien d'effrayant, au contraire c'était drôle !

Il était relié à Joshua par la corde nouée autour de sa taille et marchait à ses côtés. Comme la première fois, un courant d'air inattendu éteignit la flamme de la torche, et tous deux furent livrés à l'obscurité absolue. Joshua prit la main de l'enfant et ralentit le pas. Il était hors de question que David lui échappe et file devant lui.

Ils avançaient ainsi, prudemment, et Joshua comptait leurs pas pour tâcher de se repérer, éviter le piège fatal et encourager l'enfant.

Hélas, David supportait mal l'obscurité.

– Quand est-ce qu'on arrive ? demanda-t-il.

À peine eut-il posé la question que Joshua reconnut l'anfractuosité dans la paroi. Il prit le temps d'expliquer à l'enfant le plan à suivre et de lui faire répéter les gestes.

– Tu es prêt ? interrogea-t-il, pour éprouver le courage de l'enfant autant que le sien.

David passa la main sur la paroi, comme Élisabeth le lui avait recommandé. Joshua vérifia que la corde était solidement nouée autour de la taille de l'enfant, le souleva et tâcha de maintenir une main sur lui tandis qu'il se faufilait dans le trou.

Pour combien de temps en avaient-ils ? Déjà, Joshua était en sueur. Quelques instants plus tard, il entendit David crier :

– J'ai trouvé quelque chose, une cruche, je pense.

Le cœur du berger battait à tout rompre. Avaient-ils enfin trouvé la clef du secret ?

Il faillit bondir de joie mais se retint, attendant que l'enfant réapparaisse. David ressortit précautionneusement, se remit sur ses pieds et tendit la cruche à Joshua. Le berger rêvait de caresser le mystérieux récipient mais jugea plus prudent de le glisser dans sa besace.

— Vite ! dit-il.

L'eau commençait à monter. Ils n'avaient pas un instant à perdre.

Une nouvelle loi

É LISABETH VIT DE L'EAU sortir de la grotte et paniqua.

– Joshua ! David ! cria-t-elle depuis l'entrée de la grotte.

Aucune réponse.

À l'intérieur, l'eau montait rapidement. Elle atteignait déjà les genoux de David. Joshua tenait l'enfant par les épaules, essayant de le guider comme un aveugle.

– Aïe ! hurla soudain David. C'était quoi ?

Une violente douleur lui vrilla le mollet droit, suivie par l'engourdissement de sa jambe tout entière.

Joshua se pencha et tâtonna dans le noir jusqu'au moment où il sentit une masse géla-tineuse accrochée à la jambe de l'enfant.

— Aïe, aïe ! aide-moi, je t'en supplie, gémit David.

La situation était délicate. Joshua se rappela les paroles du Conteur : « Trouver la voie demande de dévoiler ce que l'on cache au fond de soi, car seul ce que l'on cache peut nous sauver. »

— Pense à Élisabeth, il faut absolument que nous la retrouvions, dit-il à David pour l'encourager.

L'enfant réagit aussitôt, retrouvant un sursaut de force pour garder le nez au-dessus de l'eau.

— Tiens bon ! hurlait Joshua, agrippant l'enfant, qui penchait la tête en arrière et luttait pour respirer.

Soudain, une nuée de serpents en furie surgit et encercla l'enfant en ondulant dans l'eau épaisse. David sentit la corde autour de sa taille se tendre. Élisabeth, à l'extérieur de la grotte, encourageait l'âne à tirer. Ouf ! L'animal parvint à les remorquer, et Joshua put attraper l'enfant, puis le hisser sur ses épaules, autour de son cou, comme un agneau. Jusqu'à la sortie, il se cramponna à l'attache façonnée par Élisabeth... avant de se jeter dans ses bras.

L'histoire du poisson

DAVID AVAIT BEAU LUTTER pour se montrer courageux, quand Élisabeth examina sa jambe, il éclata en sanglots. Il était épuisé, incapable de parler, les yeux rivés sur sa jambe paralysée et couverte d'urticaire.

Joshua apporta un linge propre, et Élisabeth nettoya sa jambe rouge et enflée avec l'eau de la gourde. Hélas, la paralysie gagnait peu à peu, remontant jusqu'à la hanche de l'enfant. Élisabeth était inquiète. Récupérerait-il la sensibilité et la mobilité de son membre ? C'était un mal étrange, et elle n'avait guère d'espoir.

Elle essuyait les larmes de l'enfant quand elle se souvint de la potion que l'Apothicaire lui avait donnée.

— L'élixir ! murmura-t-elle en regardant David dans les yeux. Si nous l'essayions ?

L'enfant hocha la tête, et Élisabeth alla chercher le petit sac contenant une fiole remplie d'un liquide trouble ressemblant à du thé ; elle n'hésita pas à la donner à David. Joshua se joignit alors à eux, et tous deux récitèrent une prière pour la guérison de l'enfant.

Peu après, l'enfant commençait à remuer le bout de ses orteils et à plier le genou.

— Je peux me lever ! s'exclama-t-il en se redressant.

Élisabeth l'embrassa et soupira, soulagée.

— C'est extraordinaire, vraiment ! s'écria-t-elle, exultant.

— Tout est possible, renchérit l'enfant en caressant son âne.

Il déposa un baiser sur le bout de son museau, et l'animal se mit à braire en sautillant de plaisir.

Il ne leur restait plus qu'à découvrir le contenu du vase mystérieux. Le berger alla chercher sa besace qu'il avait déposée au pied de l'entrée de la grotte et en sortit le précieux récipient.

C'était une cruche en terre brun-rouge, au cou très étroit et au corps en forme de bulbe. Elle devait mesurer une trentaine de centimètres de hauteur, et la moitié environ dans sa plus grande largeur. Elle était soigneusement scellée par un bouchon qui semblait en cire d'abeille. Joshua remarqua des idéogrammes inconnus, de même qu'un signe symbolique mis en évidence, gravés dans la cire, mais il était incapable d'en déchiffrer ou d'en interpréter aucun.

– Montre-la-moi, dit Élisabeth.

Quand elle était à la cour, Élisabeth avait appris à identifier les sceaux et les cachets des commerçants, et les symboles des confréries ésotériques qui marquaient ainsi leurs possessions.

Elle examina le vase, observa le sceau...

– C'est le symbole d'un poisson, déclara-t-elle.

– Pourquoi un poisson ? demanda David, posant à haute voix la question qui taraudait Joshua.

– Quand j'étais à la cour, le symbole du poisson était associé à un ordre monastique dont les autorités se méfiaient. Il permettait à un destinataire d'identifier l'expéditeur du message.

Le berger avait beau l'écouter avec attention, il brûlait d'envie d'ouvrir la cruche. Élisabeth lui jeta un coup d'œil et vit la flamme qui brillait dans ses yeux.

– Alors ? lança-t-elle.

Joshua ramassa une pierre et fendit la cire avec l'arête la plus tranchante. Délicatement, il ôta le bouchon et examina le contenu du récipient : un rouleau de parchemin ! Il demanda à Élisabeth de l'extraire de ses doigts fins. Elle le déroula puis l'étala soigneusement sur un rocher plat et sec.

Le parchemin mesurait environ quinze centimètres de large et une vingtaine de long. Les bords étaient endommagés, mais il était plutôt bien conservé, et le texte facile à lire.

Fais de moi un instrument de ta paix
Là où il y a la haine, que je mette l'amour
Là où il y a l'offense, que je mette le pardon
Là où il y a le doute, que je mette la foi
Là où il y a le désespoir, que je mette la confiance
Là où il y a la tristesse, que je mette la joie

Là où il y a l'obscurité, que je mette la lumière
Car c'est en me donnant que je recevrai
C'est en pardonnant que je serai pardonné
Et c'est en mourant que je naîtrai à la vie éternelle
Car telle est la loi de la substitution

Les moines mystérieux

TRANSFORMER LA PEUR EN AMOUR. Lutter contre le désespoir, la haine et le chagrin, et préférer la paix et la douceur. Faire naître un monde nouveau en effectuant de simples gestes de substitution qui permettront de remplacer ce dont nous manquons par ce dont nous avons besoin.

Elle était là, la nouvelle voie, résumée en une prière, un poème d'une profondeur sans pareille. Elle signifiait l'abandon de l'ancienne loi du talion – œil pour œil, combattre le feu par le feu, et se venger de l'ennemi en lui imposant le goût de son propre remède. Elle conseillait au contraire d'apporter la paix en

pratiquant la bonté, la bienveillance, la miséricorde et la générosité.

Joshua réfléchissait au sens de cette prière
quand un halo de lumière enflamma le ciel
et qu'un arc-en-ciel apparut. Il fut absorbé
par la contemplation de ces couleurs célestes
et vit peu à peu défiler devant lui toute sa
vie depuis sa plus tendre enfance, à l'époque
où il se réfugiait dans la grange. Comment
ne l'avait-il pas compris plus tôt ? Cette loi
de la substitution gouvernait sa vie depuis le
début, elle en était le cœur, et c'est elle qui
faisait de lui un être accompli.

Qui aurait cru que l'avorton vivrait ? Il
avait été le seul à y croire, et l'issue avait été
heureuse.

Qui soulageait les femmes souffrant en
couches ? Sa mère et sa grand-mère, qui
avaient été ses modèles.

Qui s'était montré miséricordieux, refu-
sant de confondre clémence et faiblesse,
quand la guerre et les conflits faisaient rage
entre voisins ? Son roi.

Joshua comprit que le vrai sens de la nouvelle voie était l'amour. Seul l'accomplisse-
ment quotidien de gestes bienveillants finirait
par changer le monde et renverser l'ancien

code fondé sur le châtiment et la vengeance pour faire advenir l'âge de miracles que le grand-père d'Élisabeth lui avait annoncé sur son lit de mort.

Tels un éclair, une évidence, Joshua comprit que la compassion n'était pas une récompense pour les « méritants » ni les « valeureux », mais un baume pour toutes les âmes dans le besoin. Donner à tous. Donner sans juger. Donner sans attendre de retour. Sans conditions. *Impitoyable compassion ! Incessante compassion ! Offerte sans relâche. Jusqu'à ce que le besoin soit anéanti.*

À bien des égards, songeait Joshua, la vie d'Élisabeth était la plus belle incarnation de ces principes. Toujours discrète, ne portant jamais de jugement, elle avait démontré le sens de la bonté le jour où elle avait emmené David avec elle. Elle avait pardonné au père de l'enfant. Elle avait semé les graines de l'amour là où poussait la malveillance, et les germes de l'espoir là où risquait de s'enraciner le renoncement. Elle avait diffusé la lumière dans les coins les plus sombres de l'âme vulnérable de David.

Quand Joshua perdait courage, Élisabeth et David jouaient de la musique et dansaient pour chasser ses idées noires et lui communiquer leur joie. Ils le nourrissaient de leur amitié et de leur amour, faisant naître en lui un sentiment d'épanouissement, comme la famille de fermiers qui avait recueilli le bébé aveugle dans le ruisseau.

Oui, c'était cela, la loi de la substitution, et c'était la Loi suprême. C'est elle qui donnait à chaque moment de la vie son élan, son sens et son but. Elle qui procurait le sentiment d'être entouré et d'appartenir à la grande tapisserie de la vie.

Mais pourquoi l'expression de cette loi était-elle dissimulée dans le coin le plus obscur d'une grotte sinistre ?

Élisabeth connaissait la légende des moines dont le sceau était gravé dans le bouchon de cire de la cruche. Son grand-père la lui avait racontée. Longtemps auparavant, ces moines formaient un ordre contemplatif de libres-penseurs et de mystiques. Personne ne leur prêtait attention. Ils vivaient au bord de la Grande Mer intérieure, dans un village de pêcheurs plus ou moins coupé du monde.

Un jour, tout avait basculé. Ils traversaient une partie marécageuse de la région en canot, quand ils découvrirent un bosquet de papyrus resplendissant. Ils en taillèrent des brassées et fabriquèrent des rouleaux, devenant peu à peu des scribes prolifiques. Ainsi leurs idées furent-elles diffusées dans le monde par les quelques marchands et voyageurs avec qui ils étaient en contact.

Les autorités, qui jusqu'alors les ignoraient, en prirent ombrage. L'enclave monacale et paisible attirait un flot de plus en plus régulier de pèlerins témoignant de ce qu'ils y avaient vu. On disait qu'un moine avait réussi à calmer une tempête et à marcher sur les eaux. Qu'un autre avait rendu la vue à un aveugle. Qu'un autre encore avait nourri une foule immense avec du poisson et quelques miches de pain.

Les autorités publièrent un décret intitulé « Destruction et renversement de la fausse connaissance » pour empêcher les moines de diffuser de nouveaux textes et d'organiser des réunions publiques.

— De quoi les autorités avaient-elles peur ? demanda Joshua.

— De la vérité, quand ce n'était pas la leur, répondit Élisabeth.

— Et que croyaient ces moines ?

— Que la haine engendre la haine. Car ils prêchaient le pardon, l'amour, la guérison...

— Comment ont-ils fini ?

— Ils ont été expulsés. Heureusement, ils ont pris soin de dissimuler leurs manuscrits dans plusieurs grottes de la région et d'en jeter certains à la mer. Puis ils ont disparu de façon mystérieuse, et personne n'a plus jamais entendu parler d'eux.

— Et ton grand-père, où a-t-il appris tout ça ?

— À la cour. Quand ma grand-mère y était servante, il travaillait dans la salle du trône où il a surpris des grands prêtres parlant de la grotte.

— Et de la loi de la substitution ?

— Pas de la loi, non, mais de « Celui-qui ». Les moines annonçaient la venue de Celui-qui ferait la différence.

— Celui-qui... ? répéta Joshua.

Un éclair de confusion traversa son visage. Il avait besoin de réfléchir à toutes ces informations.

La nuit tombait. Tous trois étaient épuisés. Élisabeth mit David au lit et se retira. Joshua promit au crépuscule qu'il ferait tout pour maintenir son cœur léger comme une plume. Et ils fermèrent les yeux, mettant fin à cette extraordinaire journée.

Les plateaux de la balance

LE BERGER DORMAIT.

Il était à l'autre bout du monde, au milieu de champs ouverts, de prés verdoyants et de terrains vagues. Le vieil homme flétri était là, à sa place, assis sur son coffre en bois.

– Tu es revenu, dit-il. Et tu te demandes comment changer le monde. Pis encore, tu te demandes s'il est possible d'abandonner l'ancienne voie pour adopter la nouvelle.

– Comment l'as-tu deviné ?

– À l'expression de ton visage.

Le vieil homme sortit une balance et posa une grosse pierre sur un des plateaux. Le plateau opposé, vide, fut projeté en l'air.

– Comment trouver un contrepoids à cette pierre ? demanda-t-il. Elle est tellement lourde.

Mais, sans hésiter, il se mit au travail, ramassant du sable pour remplir le plateau vide. Patiemment, lentement, il accumula et entassa du sable... jusqu'au moment où la pierre commença à monter.

– Tu vois ? dit-il. Il faut du temps pour obtenir certains résultats. Le changement dont tu parles ne peut advenir que petit à petit. Mais toi, ne renonce jamais à ta vision. Et n'oublie jamais la force qui naît de l'accumulation. Car il suffit d'un seul grain de sable pour faire pencher la balance.

– Je comprends, répondit Joshua.

Connaître Celui-qui

L FAUT DU TEMPS POUR OBTENIR certains résultats. Ne renonce jamais à ta vision... N'oublie jamais la force qui naît de l'accumulation.

Les paroles qu'il avait entendues en rêve tournaient en boucle dans l'esprit de Joshua au moment où il se réveilla. Il vit David et Élisabeth qui accumulaient du sable sur la plage pour construire un château fort.

— Le sable glisse entre les doigts, dit-il en s'approchant. Chaque grain semble ne rien peser, pourtant un seul peut faire basculer la balance. Je l'ai vu en rêve.

— Je ne suis pas sûre de comprendre, répondit Élisabeth. Explique-moi.

Joshua exposa le principe de l'équilibre des deux plateaux.

— Si tu déposes du sable sur le second plateau, arrive un moment où un seul grain fait toute la différence.

— Lequel ? s'enquit innocemment David, tout en laissant couler du sable entre ses doigts.

— N'importe lequel.

— Celui-qui... ?

C'était ça, bien sûr. Il ne s'agissait pas d'attendre la venue d'une personne en particulier. Au contraire, tout le monde avait son rôle à jouer. Chaque bonne action était un petit miracle. Tous ces gestes s'additionnaient. Tous participaient de cette immense force qui s'accumule et fait basculer la balance face à la pierre.

Partout, les gens avaient besoin de croire et d'agir, et il suffisait qu'une personne agisse pour qu'un cœur de pierre soit touché. Et c'est grâce au pouvoir de l'exemple qu'adviendrait le changement.

Une bouteille à la mer

ILS ÉTAIENT PARTIS depuis si longtemps que le sentiment d'avoir un
chez-soi n'était plus qu'une idée abs-
traite, une notion vague et rassu-
rante, un souvenir lointain. À présent, enfin,
ils pouvaient penser au retour sur la terre
qu'ils connaissaient et aimaient. Ils étaient
aux anges.

– Je remplirai un immense bol de figues
bien mûres et j'en mangerai jusqu'à n'en
plus pouvoir, déclara David.

– Je m'allongerai dans mon champ préféré sous un ciel plein d'étoiles et je somno-
lerai jusqu'au retour des vaches, confia
Joshua.

— Je m'assiérai à table avec mes amis les plus chers, et nous discuterons jusqu'à ce que nous n'ayons plus de souffle, renchérit Élisabeth.

Ainsi chacun rêvait-il à haute voix, mais, avant toute chose, tous trois avaient une affaire importante à régler.

Tôt ce matin-là, juste avant leur départ, David alla cueillir un bouquet de fleurs sauvages, et Élisabeth et Joshua se présentèrent devant le chef d'un petit village de pêcheurs voisin pour échanger leurs vœux. Les moutons et l'âne furent les témoins de la cérémonie, puis tout le monde alla s'offrir un plongeon dans la Grande Mer intérieure.

Peu après, ils prenaient le chemin du retour. Ils revirent tous leurs amis : l'Aveugle, l'Apothicaire, le Conteur. Le premier conseilla à David d'avoir toujours les yeux grands ouverts. Le deuxième recommanda à Élisabeth d'écouter son cœur. Le troisième demanda à Joshua d'écrire le dernier chapitre de son histoire, car toute fin est un nouveau départ.

Enfin, en arrivant chez eux, ils virent le Scribe, assis au milieu du marché. Joshua lui raconta leur aventure, et le Scribe lui promit de rédiger plusieurs copies de la loi de la substitution pour répandre cette prière aussi loin et aussi longtemps que possible.

– Quand tu seras grand, dit-il à David, reviens me voir, et nous écrirons ensemble *Le Livre du berger*.

L'enfant sourit et le lui promit.

Les trois voyageurs se dirigèrent vers la ferme où avait vécu le grand-père d'Élisabeth. Le terrain était envahi de mauvaises herbes, et la maison en piteux état. Aussitôt, Joshua déclara qu'il voulait la restaurer pour la transformer en une coquette petite ferme. Élisabeth approuva, songeant qu'elle souhaitait devenir sage-femme pour les années à venir. Quant à David, il désirait apprendre à lire et à écrire, suivant l'exemple de son ami le Scribe.

– Regardez ! s'exclama-t-il.

Ils venaient d'entrer dans la pièce où le grand-père d'Élisabeth était mort : un dessin de poisson était accroché au mur. Avait-il toujours été là ? Si c'était le cas, Élisabeth l'aurait vu, car il était parfaitement mis en valeur. C'était un simple croquis à l'encre noire, la réplique exacte du symbole gravé sur le bouchon de cire du vase contenant la loi de la substitution. Quelqu'un l'avait fixé au-dessus du lit du vieil homme pendant leur absence.

Joshua détacha le dessin, révélant ainsi un trou dans le mur. Élisabeth y plongea une main et en ressortit... une bouteille. Elle était en verre bleuté et brilla au soleil quand elle l'offrit à la lumière.

– Si nous l'ouvrions ? suggéra Joshua.

– Je suis sûre que c'est ce que grand-père aurait voulu, répondit Élisabeth.

Elle arracha le bouchon de cire d'abeille et glissa ses doigts fins et agiles pour extraire le rouleau de parchemin enfoui dans la bouteille. Joshua et David se rapprochèrent tandis qu'elle déroulait le codex.

Était-ce un des messages cachés par les moines interdits ? Le grand-père d'Élisabeth l'avait-il trouvé sur la plage et caché, sachant que les autorités chercheraient à le détruire s'ils avaient vent de son existence ?

Ils ne le sauraient jamais.

En revanche, ils brûlaient d'envie de découvrir le contenu du message, qu'Élisabeth finit par lire à haute voix.

– « Plutôt que de maudire l'obscurité, diffuse la lumière.

« Car Dieu a envoyé Son aide. Il t'a
envoyé, toi. »

Joshua aida Élisabeth à fixer le rouleau sur
le mur de la pièce de façon qu'il soit très
lisible. Et tous trois commencèrent à transformer l'ancienne maison en nouvelle
demeure.

La prière

Fais de moi un instrument de ta paix
Là où il y a la haine, que je mette l'amour
Là où il y a l'offense, que je mette le pardon
Là où il y a le doute, que je mette la foi
Là où il y a le désespoir, que je mette la confiance
Là où il y a la tristesse, que je mette la joie
Là où il y a l'obscurité, que je mette la lumière
Car c'est en me donnant que je recevrai
C'est en pardonnant que je serai pardonné
Et c'est en mourant que je naîtrai à la vie éternelle
Car telle est la loi de la substitution

Postface

La loi de la substitution est aujourd'hui connue sous le nom de « Prière pour la paix », de « Prière simple » ou de « Prière de saint François d'Assise », car elle est attribuée à ce moine qui vécut au Moyen Âge, se fit l'avocat des pauvres, fut l'ami des animaux et un modèle de compassion. Elle fut également mise en musique par de nombreux interprètes.

Cependant, la force inouïe, presque miraculeuse, de ces vers n'est pas assez reconnue. Elle ne se fera sentir que si un nombre suffisant d'entre nous s'engagent à changer le monde dans ce sens. Ne vous contentez pas de parler de changement. Agissez. Vous seul faites la différence.

Sources bibliographiques

L'auteur remercie...

Elaine Pagels, pour ses *Évangiles secrets*, dans lesquels sont mentionnés « la destruction et le renversement de la fausse connaissance », et qui livre l'idée de « dévoiler ce que l'on cache au fond de soi, car seul ce que l'on cache peut nous sauver ». Les deux citations ont été adaptées au contexte de ce conte.

Le professeur James Gray, qui nous appelle à « dire la vérité dans l'amour, à aimer la vérité en chacun de nous et à dire avec douceur des paroles fortes et avec force des paroles douces ».

Miriam Lukken, qui a attiré mon attention sur la phrase « J'ai envoyé de l'aide, je t'ai envoyé, toi », que j'ai adaptée à ce récit.

Gregory K. Jones, auteur de *Play the Ball Where the Monkey Drops It : Why We Suffer and How we Can Hope*.

James Redfield, auteur de *La Prophétie des Andes*, qui m'a alertée sur la nécessité d'atteindre une « masse critique » et de ne jamais « renoncer à sa vision » pour que le changement advienne.

Dan Millman, pour l'expression « guerrier pacifique ».

Scott Peck, pour l'expression « gens du Mensonge ».

La fondation Robert Wood Johnson, pour m'avoir fait réfléchir à l'expression « générosité impitoyable ».

Ruth Beebe Hill, qui a attiré mon attention sur l'idée de « spiritualité continue fondée sur l'habitus », empruntée aux Amérindiens.

Joseph Conrad et sa préface au *Nègre de Narcisse*, dans laquelle il évoque « ... cet aperçu de la vérité sur laquelle tu as oublié de m'interroger ».

Philip Pullman, qui dans *La Boussole d'or* souligne l'idée que les autorités ont souvent peur de « la vérité quand ce n'est pas la leur ».

E. B. White, pour *La Toile de Charlotte* qui met en valeur la force symbolique de l'avorton, une idée est aussi adaptée dans mon récit.

Remerciements

Les défauts de ce livre ne tiennent qu'à moi. Néanmoins, je tiens à remercier et à féliciter plusieurs personnes pour l'aide, le soutien et l'amour qu'elles m'ont offerts au cours de mon travail.

Bob Miller, sans qui ce récit n'existerait pas. À l'époque où *Le Livre du berger* n'était qu'une étincelle dans mes yeux, Bob l'a vue et a imaginé quelle forme elle pourrait prendre, et les développements possibles. Merci, Bob, pour ton amitié, et merci pour m'avoir trouvé de la place au Harper Studio où tu as créé un nouveau type de partenariat, particulièrement fructueux.

À mes amis, Cathi et Ron Shapiro : merci pour votre foi et votre bienveillance. À David Black et à l'équipe merveilleuse de son agence, merci pour vos conseils et votre patience. À tous ceux qui travaillent au Harper Studio – Debbie Stier, Sarah Burningham, Julia Cheiffetz, Katie Salisbury, et Martha Batalha, stagiaire – et chez Harper Collins – Kim Lewis, Lorie Young, Juliette Shapland, Brenda Segal, Eric Butler, Leah Carlson-Stanisic, Nikki Cutler, Doug Jones et Mary Schuck... Sachez que je suis heureuse d'être parmi vous. Une mention particulière à Suzanne Stradley pour son œil de lynx.

À mon voisin, Dean Ordway, merci pour sa gentillesse.

Quant à ceux qui m'encouragent tous les jours et à qui je dois tout, je citerai d'abord ma famille. Merci à mon mari, Kenny, compagnon et ami de toujours, qui me communique son enthousiasme, m'offre son amour et son soutien quand je doute et perds espoir. Quand je ne sais plus, je sais à qui demander. À ma mère, Anna, un modèle d'amour. À ma tante Pearl, qui veille sur moi. Enfin, à mes enfants, Jenny et Colin, qui m'ont toujours donné cet « aperçu de la vérité » pour lequel je ne leur ai pas demandé la permission. À vous deux, je n'ai pas de mots assez forts pour dire mon amour et ma gratitude. Je n'ai que les battements réguliers de mon cœur.

Mise en page
PCA
44400 Rezé

Impression réalisée par

Achevé d'imprimer au Canada
sur les presses de Imprimerie Lebonfon Inc.
Dépôt légal : septembre 2009
ISBN : 978-2-7499-1113-7
LAF 1228